Nino Russo (Story), Giorgio Di Vita (Zeichnungen)

So...

Das Videospiel da, bitte! Meine Neffen und ich starten heute Abend einen Entendo-DS-Wettbewerb.

Spielmax

Com

Schön. Ich pack's Ihnen ein.

Und...

Eine Flasche Chantal N°5 für meine Verlobte. In Reisegröße, bitte!

Ein wirklich apartes... Präsentchen!

Und weiter...

Onkel Dagobert freut sich sicher über Glückskekse und die Aussicht, dass Bauch und Portemonnaie gefüllt werden...

Präsente

Bus

Huch? „Neujahrs-Preisausschreiben bei Michis Minimarkt. Machen Sie mit..." Aber ja!

Der Gewinner wird heute Abend ermittelt. Ruf einfach an!

Mach ich, Michi! Danke!

Was für eine Kälte! Nun aber fix nach Hause!

Später...

Na endlich! Fahren wir jetzt los zu Oma?

Sicher!

Währenddessen auf Omas Bauernhof...

Brrr! Hallo, Oma! Hallo, Daisy!

Dussel, komm rein, bevor du zu Eis wirst!

Du bist der Erste, aber die anderen kommen sicher gleich.

Da sind sie schon! Alle zusammen!

Schönen Abend, miteinander!

Onkel Dagobert, wie nett!

6

Was willst du denn mit noch mehr Geld? Du hast doch genug!

Dummes Geschwätz!

Meine Damen, meine Herren, es gewinnt das Los...

HÜPF

He, das waren 1000 Punkte für mich!

Nimmersatt!

Aber ich hab Hunger und seit einer Stunde nichts gespeist...

... mit der Nummer 1313.

Tja, jetzt fehlen dir nur noch 60.000.

BOING ZAPP

Och, schade!

Seufz, ich habe Nummer 1330 und 1313 gewinnt!

Ach ja... die Lotterie. Losnummer 1313...

...das heißt, ich habe einmal in meinem Leben was gewonnen!

Schluck!

KLIRR

Sie macht das schon... Was das wohl heißt?

Hallo, Vetter!

Wie fühlt es sich an, wenn einen Fortuna geküsst hat?

Fängst du schon wieder damit an? Du übertreibst langsam!

Schön, dann untertreiben wir!

Wie meinst du...? Ups!

Hör zu... ich habe da ein hübsches Wägelchen gesehen! Ein Schnäppchen aus zweiter Hand.

Was geht mich das an?

Du könntest meine dritte Hand beim Autokauf sein!

Umpf! Na schön, meinetwegen!

HARRI

10

11

Gng%ßa f Ù am m̈æZ̈ ^g Zgi Aaí] ^g ?k^n] ^g] ^g٨^ @^p ṭg̈g]

Genug geteilt, danke! Ich bin gerührt!

Natürlich ist Onkel Dagobert dabei, wenn es darum geht, sich den Bauch oder die Taschen vollzuhauen...

PATSCH

PATSCH

später...

Sind wir am Dreikönigsfest wieder bei Oma?

Ja, aber diesmal lade ich ein. Es gibt einen feinen Festschmaus von meinem Gewinn.

Gibt es dann auch etwas... Gutes für uns, Onkel Donald?

Aber sicher doch! Ohne Frage!

Hurra!

Wir sind jetzt schon wunschlos glücklich!

Sie sind wirklich mit wenig zufrieden! Zum Glück!

Anderntags...

Oh nein, der Automechaniker! Das gibt Ärger!

PATSCH

Donald!

Seltsam, ihm macht eine unbezahlte Rechnung offenbar gute Laune!

Ah, hallo, also was die ausstehende Sum...

Lass gut sein, es dürstet mich nicht nach Zaster...

...und mein Glas ist noch ...halb voll! Außerdem habe ich gehört, dass du in Kürze Flüssiges zu erwarten hast!

Ja, in der Tat. Das ist Teil meines Preises!

Na also, das ist mir doch viel lieber als jeder Scheck!

Warum sagt er nicht gleich, dass er eine Bezahlung in Flaschenform will?

Wir kriegen unser Geld schon...

Na, wenn Sie meinen...

KRATZ

Wie kommt es nur, dass alle plötzlich so entgegenkommend sind?

Und dann...

Donald!

Schluck! Johnny!

Guter alter Freund! Erinnerst du dich an mich?

Wie könnte ich einen Freund von... deinem Schlag vergessen?

PAFF

In der Schule waren wir doch unzertrennlich!

Klar, solange es dir ums Abschreiben ging.

15

Wie kommt es, dass du mich beehrst?

Ich habe ein verlockendes Angebot für dich!

Umpf! Lass hören!

Warum werden wir nicht Geschäftspartner? Du kaufst ein Restaurant...

...und ich bin dein Küchenchef. So hauen wir deinen Gewinn wortwörtlich in die Pfanne!

Vergiss es! Grmpf!

Mit meinem Preis kann ich doch nicht den Hunger der halben Stadt stillen!

Wie wäre es dann mit...

...einem kleinen Imbiss?

Nun, das...

...ist genauso ausgeschlossen! Und wer ist das jetzt?

RUMS

DRING

Hallo, Donald! Wir feiern also alle zusammen das Dreikönigsfest?

Denke schon, wenn Oma einverstanden ist!

: [l hæmHf Z I Z m‰
] n [kœ` l m] b‛ Mlkm
f bmhDkb‛ ^ ða] Z
p ZI Z[8

Schluck! Die Frage erübrigt sich, Franz!

Klar, dass der Vielfraß ein Stück vom Kuchen möchte, und zwar ein großes.

Später...

Ich gehe eine Runde und hoffe, mir läuft niemand mehr über den Weg.

Das ist er!

Ja, das ist unser neuer Super-Millionär!

FRISEUR

Aber... Hallo, mein Bester! Wie geht's?

Gut! Und dir? Die Kindergartenzeit ist eine Weile her...

Kein Grund zur Klage, aber ich hätte noch weniger Grund dazu, wenn ich an deinem Festtagstisch sitzen dürfte. Ich habe gehört, du...

Na und?! Wieso sind alle Bekannten und Verwandten plötzlich derart hungrig?!

Hallo, Donald, was sagst du zu meiner Anschaffung?

Ups! Nicht gerade ein Wägelchen!

Seufz! Wenigstens hab ich's versucht!

Der frisst doch jede Menge Benzin!

Na ja, aber für einen Gebrauchten ist er tipptopp. Trotz ruckelnder Kupplung!

Keine Sorge, das kann ich dir bei Oma reparieren.

Du bist zu großzügig!

ROARR

Schließlich am 6. Januar...

Ich hole meinen Preis ab und komme nach!

Wir sehen uns bei Oma!

Nanu, warum hat er denn den Anhänger dabei?

Hm?

Vielleicht wird der ganze Preis ja bar ausgezahlt!

Später...

Beeil dich mit deinem Transparent, Dussel! Donald wird gleich hier sein.

Geht klar!

HOCH LEBE DONALD!

Überraschung!

Ach herrje, das war doch nicht nötig! Ich habe das Haus voller Leckerbissen!

Hm, schmatz! Besser zu viel als zu wenig!

BREMS

Natürlich, Neffe! Du hast jetzt lediglich eine offene Rechnung mehr...

Schluck!

Und... Na dann... hauen wir uns einfach zusammen die Bäuche voll!

Hm, immer sachte, denn schließlich...

...muss ich den Abwasch machen!

Nimm's nicht so schwer, Donald!

Grmpf, warum sollte ich!?

ENDE

Carlo Panaro (Story), **Alessandro Gottardo** (Zeichnungen)

Ich freue mich auch! So oft logiert man als Superheld nicht in Luxushotels!

Tja! Wir verleihen jedes Jahr die Goldene Pinie an einen verdienten Entenhausener...

...und in diesem Jahr wird die Ehrung dir zuteil!

Und über sein Handy konnte ich ihn auch nicht erreichen.

Das habe ich aber immer bei mir!

Wahrscheinlich sind wir hier in einem Funkloch...

Wieso sind Sie mit ihm unterwegs?

Weil ich zwei Wochen Ferien in diesem Hotel gewonnen habe.

Aber der Preis wird nur an Paare vergeben.

Ich konnte das Angebot nicht ausschlagen.

Verstehe.

Und Donald habe ich eine Nachricht auf seinem Band hinterlassen!

Bis dann, Phantomias!

Hrmpf! Gustav wird nicht alleine mit Daisy Urlaub machen, dafür sorge ich!

Äh... dürfte ich Sie um einen Gefallen bitten?

Gern!

Mein Freund Donald wäre gerne bei der Preisverleihung dabei.

Könnten Sie ihm ein Zimmer reservieren?

Aber ja!

Und deshalb, Minuten später...

Nun denn, ab tritt der viel gerühmte Superheld...

...und auf tritt der viel geschmähte Schussel, der mir ja leider auch innewohnt.

Willkommen, Herr Duck! Hier, Ihr Schlüssel!

Daisy! Gustav! Ich habe euch gesucht!

Oh! Hallo, Donald!

Was machst du denn hier?

Ich habe deine Nachricht abgehört und...

...bin euch nachgereist!

Gute Idee!

Pfah!

Glaubst du, dass deine schmale Börse den Preisen hier gewachsen ist?

Hrmpf!

Muss sie nicht! Darum kümmert sich mein Freund Phantomias.

So, so.

Streitet nicht! Wir gehen ins Dorf, kommst du mit?

Aber sicher!

Bitte teilen Sie Phantomias mit, dass er von der Presse erwartet wird!

Ups!

Ich, äh... bringe nur schnell mein Gepäck aufs Zimmer!

Puh! Die ewige Umzieherei wird langsam lästig!

Endlich, Phantomias! Wo warst du denn?

Schnauf! Ski laufen!

Verstehe! Aber nun komm! Die Journalistenschar wird schon ungeduldig!

Hast du damit gerechnet, die Goldene Pinie zu erhalten?

Nein! Das ist eine große Ehre!

Donald lässt sich mal wieder Zeit. Typisch!

Bla, bla, bla...

Wahrscheinlich pennt er wieder! Hehe!

Komm, wir rufen ihn an!

Es hebt niemand ab.

Was sage ich? Der torkelt träge durchs Land der Träume!

Und eben dort...

Ist das ein malerisches Fleckchen!

Schade, dass Donald nicht hier ist.

Denk nicht an ihn. Ich bin ja bei dir.

Eine Schande, dass der Kerl um diese Zeit... oh! Meine Uhr steht!

33

37

41

Meine Glücksfee wird es schon richten!

wROMM

Endlich! Jetzt, wo ich den Angeber los bin...

...kann ich unbeobachtet den Superhelden auspacken!

Zur selben Zeit...

Verflixtes Schneetreiben! Man sieht die Hand...

...vor Augen ni... **iiiieh!**

SPOMM

Aber dank meiner Glücksfee bin ich weich gelandet!

Was man von meinem Gefährt nicht eben behaupten kann!

Oh! Eine Hütte mitten in der Wildnis!

Eine Hütte, in der Licht brennt!

Also ist sie bewohnt und ich bin aus dem Schlimmsten raus!

Herrje!

Es sind also zwei Ganoven!

Gut, dass ich die Hütte lange genug beobachtet habe!

POMPF

Wenn Held weiß, womit er's zu tun hat, ist der Rest Routine! Nichts als eine Fingerübung!

Und nicht lange danach...

Als Erstes drehe ich den finsteren Gesellen den Saft ab!

SUMMSEL

Höchste Zeit für meinen Auftritt als doppelter Held!

Ich... ich hab so Angst, Gustav!

Seufz! Ich auch!

Oh! Sieh nur, Gustav! Da ist Phantomias!

Wie gut, dass du die Gauner aufgetrieben hast, Donald!

Und wie du den einen überwältigt hast! Alle Achtung!

Schon gut, Phantomias!

Hast du gehört, Gustav? Phantomias hat uns dank Donalds Hilfe gerettet!

Nicht zu fassen!

Ich muss Herrn Düsentrieb loben! Das Doppelgänger-Hologramm ist klasse!

Ich verschwinde! Kümmere du dich bitte um die beiden, Donald!

Geht klar!

Und deshalb...

Daisy! Gustav! Alles in Ordnung mit euch?

Ja!

Und das verdanken wir nur dir, du Lieber!

Tja...

Du bist ein Held! Der Phantomias meines Herzens!

SCHMATZ

ENDE

49

Walt Disney DONALD DUCK

Zwei Agenten im Schnee

Sisto Nigro (Story), **Lorenzo Pastrovicchio** (Zeichnungen)

55

Gewöhnlich ja. Aber letzthin gehen in jener Gegend eigenartige Dinge vor sich.

Flockenfall ist seit jeher bekannt dafür, dass es dort häufig schneit.

FLOCKENFALL

In jüngster Zeit nun schmilzt der frische Schnee über Nacht wieder weg. Allerdings nicht überall...

FLOCK

...sondern nur in der Ferienanlage Ihres Herrn Onkels.

Niedrichts Pisten sind dagegen immer in perfektem Zustand.

Ich habe es mit Kunstschnee versucht, ungeachtet der grotesken Kosten. Doch das missfällt den Gästen.

Nach und nach wandern sie allesamt ab und mieten sich in Niedrichts Luxusherberge ein!

Und du vermutest finstere Machenschaften?

DGD

56

Ja. Niedricht hat Professor Korbinian von Klamm engagiert, einen Fachmann für Frostforschung.

Seit Kurzem aber ist der Professor verschwunden – und mein Schnee tut es dem Manne nach!

„Ich will, dass ihr euch in Flockenfall umseht und der Sache auf den Grund geht!"

Hier Zentrale! Bericht zur Lage, bitte!

Wir sind fast am Ziel. Schalten um auf Autopilot!

Höchste Zeit, dass wir uns vollends landfein machen, Agent Dussel!

Übrigens... Schäden an der Tarnung gehen zulasten der Agenten!

Seine Art, uns Glück zu wünschen.

WUUOSCH

Glück brauchen wir. Und warme Unterwäsche!

Umpf! Immerhin schon mal bruchfrei gelandet!

POFF

Der geheime Wettersatellit des DGD meldet starken Schneefall in zwei Minuten.

Wir sind genau im rechten Moment gekommen. Ich packe gleich die erste Schachtel Geheimes aus.

Diese täuschend echten falschen Flocken aus Herrn Düsentriebs Labor sind in Wirklichkeit Minisender.

Unter den Schnee gemischt, müssen wir nur ihrer Signalspur folgen...

BIEP BIEP BIEP

...um zu erfahren, wo-hin die weiße Pracht entschwindet!

KLAPP

KLAPP

Halt die Augen offen, Dussel! Es hat aufgehört zu schneien!

Hmm. Komische Wolke. Sie ist direkt über uns stehen geblieben!

WOOOSCH

Huch! Was wird denn das?

Unglaublich! Die Wolke saugt den Schnee von Onkel Dagoberts Skipisten!

WUUUSCH

Zeit für die zweite Schachtel Geheimes: aufblasbarer...

KLICK

ZA-FUMP

...Motorschlitten mit Tannentarnung!

Gleich sind wir oben! Da hält höchstens ein Helikopter mit!

GRIBSCH

SURR

GRAPSCH

Hm! Keine Spur von einer Wolke. Sehr rätselhaft.

GRIBSCH

Dabei sind die Signale so stark, als würde ich auf dem Sender stehen.

BIEP BIEP

Ich mach Pause. Reicht ja, wenn einer rätselt.

Ich krieg Kohldampf von der Bergluft.

...Falle! **Uaaah!**

Umpf! Zum Glück ging's nicht tief runter.

Aua! Tief genug für mich!

POMPF   BOMPF

Tut mir ja leid, aber ich freue mich, Sie zu sehen!

He, Sie kenne ich doch! Sie sind Professor Korbinian von Klamm!

Und Niedrichts Gefangener, seit meine Erfindung fertig ist.

Welche Erfindung?

Ein Apparat, der tonnenweise Schnee aufsaugen und zu hochkomprimiertem Wasserdampf verdichten kann.

Gedacht, um Schnee dorthin zu bringen, wo er benötigt wird.

Nett. Und was hat Niedricht damit zu tun?

Er hat mein Projekt finanziert. Konnte ich denn seine finsteren Beweggründe ahnen?

Er missbraucht meine Erfindung, um den Schnee von den Pisten seiner Konkurrenten zu rauben!

Er schlägt nachts zu, im Schutze einer künstlichen Wolke! Im Übrigen auch mein Werk.

Gut. Als Erstes müssen wir hier raus.

Aber die Wände sind glatt wie ein Spiegel!

Kein Problem für unsere Selbststeigstiefel.

67

Wir müssen uns an Bord schleichen!

Wieder mal kopfüber ins Abenteuer.

Durch die Luke dort!

SURRR

Aktiviert die künstliche Wolke! Tor auf! Maschinen halbe Fahrt voraus!

WROAMM

Perfekter Start! Einen Neidhardt Niedricht kann nichts aufhalten!

73

Zum Glück ist uns der Wettergott gnädig gesonnen!

Allerdings!

Die Blumen vertragen keine Kälte. Da...

...würden sie eingehen!

Ah, sehen Sie! Eine einzelne Wolke!

Harmlos. Von der geht keine Gefahr für unsere Schützlinge aus.

Wieder nichts! Ich schaffe es nicht, das Ding zu landen!

Vielleicht hilft ja der Hebel? Das ist der einzige, der noch übrig ist.

KLACK

Das Geschenk für Gamma

Entenhausen, wenige Stunden vor dem großen Weihnachts-festessen bei Micky...

Was wäre Weihnachten ohne strapaziöse Suche nach passenden Geschenken für Freunde und Verwandte?

J-2665-1

Aber ich glaube, ich habe für jeden das Richtige! Fußballschuhe für Mack und Muck, ein Wohlfühlwochenende in Bad Fango für Minnie...

Manuela Capelli (Story), **Massimo De Vita** (Zeichnungen)

...und einen Schal für Kommissar Hunter, damit er sich bei nächtlichen Einsätzen nicht immer erkältet!

Für Gamma habe ich einen Weihnachtsbaum aus Naphthalinkugeln! Die Verkäuferin hat mir versichert, dass es sich um eine Weltneuheit handelt!

Besser, ich packe ihn ein und verstecke ihn! Sonst riecht Gamma das Zeug sofort und...

Oha! Da kommt er schon! Was mache ich denn jetzt nur?

SWUSCH

ZA-BAFF

Tag, Micky! Schön, dich zu sehen!

Hallo, alter Knabe! Herzlich willkommen! Wie war die Reise durch Zeit und Raum?

Problemlos! Es gab keinen einzigen Stau auf der ganzen Milchstraße!

Das freut mich!

Aber gern! Ich mag Entenhausen! Besonders, wenn es verschneit ist!

Darf ich eintreten?

Äh... lass uns erst ein wenig um die Häuser streifen, ja?

Ist dir denn gar nicht kalt?

Aber Micky, wir Deltiden sind doch immun gegen Kälte!

Schau dir das Gewühl an! Wie gut, dass ich alle Geschenke beisammen habe!

Stell dir vor, ich habe sogar schon ein paar Geschenke bekommen!

Wie konnte ich nur annehmen, dass ich der Einzige bin, der Gamma Naphthalin schenkt!

Aber wie soll ich in der kurzen Zeit etwas anderes finden?

He! Da ist ja Minnie!

Uff! Was machst du denn hier? Hast du auch noch nicht alles beisammen?

Doch, fast alles!

Du Glücklicher! Ich hingegen habe noch jede Menge Einkäufe zu erledigen!

Ähm... hast du denn schon ein Geschenk für Gamma?

Aber sicher! Ein paar hübsche Aufnäher für seine schwarze Hose! Das ist momentan ganz groß in Mode!

Sag bloß, du weißt noch nicht, was du deinem Freund aus den Weiten des Weltraums schenken sollst?

Na ja... ich hatte etwas für ihn, aber das hat er schon!

Wie unangenehm! Du, ich muss los! Wir sehen uns dann später, ja?

Klar! Bis dann...

Dabei hätte ich ihren Rat gebraucht!

84

Sieh doch mal, diese Bettknäufe! Das wäre doch was, oder?

Mit denen liegst du sicher richtig! So was hat Gamma bestimmt nicht!

Goldene Bettknäufe für goldene Träume... kicher! Nett!

Verzeihung! Was kosten diese Bettknäufe?

Nur 20 Taler, gute Frau! Ein echtes Schnäppchen!

Aber ich habe sie zuerst gesehen, meine Dame!

Gut! Dann biete ich eben 30 Taler!

Und wie viel bieten Sie für diese kostbaren Stücke?

Oje! Ich habe nicht so viel Geld bei mir! Als ich das Haus verließ, ahnte ich nicht, dass es so teuer werden würde!

Kannst du mir vielleicht etwas leihen?

Tut mir leid, Micky! Ich hab nicht mal einen Kreuzer dabei!

Jedenfalls vielen Dank, Goofy!

Gern geschehen! Ich geh dann mal wieder nach Hause und richte mein Heim für den Weihnachtsmann her! Mach's gut, Micky!

Und ich klappere die Möbelhäuser ab!

Die müssten doch Bettknäufe in Hülle und Fülle führen!

MÖBEL FÜR JEDEN

Wie? Bettknäufe? Hahaha!

Hmpf...

Äh... verzeihen Sie! Kommen Sie bitte mit!

Aber natürlich! Jetzt weiß ich, wo ich welche finden könnte!

Ich hätte gleich dorthin gehen sollen! Gamma liebt doch alte Sachen!

BUE

ALTWAREN

Bettknäufe? Hm... lassen Sie mich mal kurz nachdenken!

Nein, hier habe ich sie wohl nicht!

Ach, wie dumm von mir! Die müssten ja noch unten im Lager liegen!

Und? Haben Sie sie gefunden?

SCHEPPER

KLONG

Hier sind sie! Gestern hat mir nämlich zufällig eine Dame ein altes Bett verkauft!

Die sind wirklich ausgesprochen schön! Was sollen sie denn kosten?

Für fünf Taler können Sie sie sofort mitnehmen!

Hm... die kleine Ratte hat offenbar irgendwas in dem Altwarenladen gekauft!

Da frag ich doch am besten gleich mal nach, was es war!

Nein!

ALTWAREN

Etwa auch diese wunderschöne Enzyklopädie?

Die nun nicht gerade! Aber im Moment möchte ich auch keine!

Die gibt's aber nur heute, Herr Maus!

Dann habe ich eben Pech gehabt!

Das werde ich auf keinen Fall dulden! Werfen Sie nur mal einen Blick hinein! Sehen Sie, wie liebevoll sie gemacht und gebunden ist?

RAMM

Von A wie „Alkaselz" bis Z wie „Zing-Zing" ist da einfach alles zu finden!

Äh... mag sein...

Hust... röchel!

Das hört sich übel an! Ich hole Ihnen rasch ein Glas Wasser!

Wie werde ich diesen lästigen Vertreter nur schnell wieder los?

Gut! Ich sehe mich rasch etwas um!

Aua! Au! Haben Sie einen Verbandskasten im Haus?

Sicher! Warten Sie, ich hole ihn gleich!

Lass dir nur Zeit! Hehe!

Grmpf! Er hat schon alles eingepackt! Wie soll ich da sehen, was drin ist?

KNISTER

RASCHEL

Sind Sie sicher, dass Sie nicht doch etwas verloren haben?

Wie? Äh... ich hab mich nur gewundert, wie viele Geschenke Sie unter dem Weihnachtsbaum liegen haben!

Ich glaube Ihnen jetzt auch, dass Sie nichts mehr brauchen! Ich wünsche ein frohes Fest!

KLAPP

Na, wenn das nicht seltsam war!

94

Mann, ist das düster hier! Aber Licht wäre viel zu auffällig!

Hoppla! Uaaah!

TOCK

Ich sollte mir eine Taschenlampe zulegen! Im Dunkeln sieht man wenig und...

Sehr richtig! Und deshalb mache ich besser mal Licht!

Uaps!

KLICK

Na schön! Dann hat die Maskerade jetzt ja ausgedient!

Kater Karlo?

Jetzt reden wir aber endlich mal Klartext! Was um alles in der Welt suchst du denn hier?

Äh... ich suche die Bettknäufe, die du heute gekauft hast! Die sind von meinem schönen Bett, das Trudi gestern...

„...einfach an den Altwarenhändler vertickert hat!"

Tut mir leid, aber die habe ich dem Herrn verkauft, der gerade hier war!

Nein!

Daher wusste ich natürlich genau, wo ich nach ihnen suchen musste!

Was soll an den Dingern denn so wichtig sein?

Gar nichts! Mir geht es nur um das, was in einem der Dinger versteckt ist! Das brauche ich heute Abend!

Herrje!

Etwa um einen Juwelierladen auszuräumen, eine Bank zu überfallen oder einen Satelliten zu entführen?

Nein! Nur um es meiner Trudi zu schenken, ehrlich!

Es ist ein winziger Flakon mit echter Maiglöckchenessenz, die sie so gern hat! Die ist sündhaft teuer!

Ach?

MICKY MAUS

Ich wollte nicht, dass sie ihr Geschenk vorher entdeckt!

Na, wenn das so ist...

...hier! Die Knäufe waren die ganze Zeit in der Einkaufstasche!

BLU

DING DONG

98